Bibliotheek Bijlmermeer
Bijlmerplein 93
1102 DA Amsterdam
Tel.: 020 - 697.99.16

Het verhaal van

TOM

Lezen voor Iedereen / Uitgeverij Eenvoudig Communiceren
www.lezenvooriedereen.be
www.eenvoudigcommuniceren.nl

Dit boek maakt deel uit van de serie *Beeldboek*.

Tekst: Johan van Caeneghem
Redactie en vormgeving: Eenvoudig Communiceren
Fotografie: Edwin Wiekens
Druk: Easy-to-read Publications

© September 2009 Uitgeverij Eenvoudig Communiceren, Amsterdam.
Alle rechten voorbehouden. Niets uit deze uitgave mag worden
verveelvoudigd, opgeslagen in een geautomatiseerd gegevensbestand
of openbaar gemaakt, in enige vorm of op enige wijze, hetzij elektronisch,
mechanisch door fotokopieën, opnamen of enige andere manier, zonder
voorafgaande schriftelijke toestemming van de uitgever.

ISBN 978 90 8696 085 9
NUR 286

HET VERHAAL VAN

TOM

Johan van Caeneghem

Bibliotheek Bijlmermeer
Bijlmerplein 93
1102 DA Amsterdam
Tel.: 020 - 697.99.16

- 1 -

Tom werkt aan zee.
Hij werkt in een restaurant.
Hij is kok.

Tom werkt laat.
Hij gaat laat naar huis.
Hij heeft een auto.

Hij is alleen op de weg.
Hij is moe.
Hij zet de radio aan.

Maar hij valt in slaap.

- 2 -

Tom wordt wakker.
Hij ligt op zijn rug.
Naast zijn auto.

Wat is er gebeurd?
Zijn auto is kapot!

Hij staat op.
Zijn rug doet pijn.

Waar is hij?
Wie is hij?

Hij weet het niet!

- 3 -

Tom loopt.
Waar naartoe?
Hij weet het niet.

Het is nacht.
Het is donker.

Hij loopt in een bos.
Er is geen mens.

Tom loopt lang.
Het is koud.

Dan ziet hij een huis.

- 4 -

In het huis is een man.

Wie bent jij?, vraagt de man.
Ik weet het niet, zegt Tom.

Je weet het niet?
Nee.
Ik had een ongeluk met mijn
auto.

Waar is je auto?

Daar ...

Blijf hier, zegt de man.
Ik ga kijken.

- 5 -

Tom gaat zitten.
Hij wacht.

Hij wacht lang.
De man komt niet terug.

Hij gaat naar buiten.
Hij roept.
Er is niemand.

Tom loopt terug het bos in.
Hij moet zijn auto vinden.

Maar waar is zijn auto?

- 6 -

Tom loopt lang.
Het is donker.
Het is ijskoud.

Hij vindt zijn auto niet.
En de man ook niet.

Wat is er toch?

Hij weet niets meer.
Niet zijn naam.
Niet zijn adres.

Niets.

- 7 -

Wat is dat daar?
Een weg!

Tom rent er naartoe.
Hij kijkt naar links en rechts.
Maar er zijn geen auto's.

Hoe laat is het?
Hij weet het niet.

Hij heeft geen horloge.
Geen gsm.

Hij moet weer lopen.

- 8 -

Hij loopt een uur.
Misschien langer.

Hij is moe.
Hij heeft pijn.
Hoelang nog?

Dan hoort hij iets.
Een auto!

Hij draait zich om.
Ziet lichten.

Help! Stop!

- 9 -

Maar de auto stopt niet.

Tom is weer alleen.
Alleen op de weg.
Alleen in het bos.

Waar gaat hij naartoe?
Hij heeft geen idee.

Iemand moet hem helpen.
Hij is moe.
Hij is bang.

Hij wil naar huis.

- 10 -

Maar waar is zijn huis?

Hij denkt heel hard na.
Zijn huis ligt niet aan deze weg.
Niet in het bos.

Woont hij in de stad?
Of in een dorp?

Hij weet het niet.

Hij zoekt zijn papieren.
Hij heeft ze niet.

Ze liggen in de auto.

Daar komt weer een auto.

Help! Stop! Help!

De auto stopt.
De deur gaat open.
Een vrouw kijkt naar Tom.

Dag meneer.
Is alles oké?

Nee, zegt Tom.
Ik had een ongeluk.
Ik weet niets meer.

- 12 -

De vrouw is vriendelijk.
Ze praat zacht.

Tom stapt in.
Ze rijden naar het huis van
de vrouw.

Hier woon ik, zegt de vrouw.
Samen met Erik, mijn man.

Ze stappen uit.
En gaan naar binnen.

- 13 -

Heeft u pijn?, vraagt de vrouw.
Ja ...

U moet naar het ziekenhuis.
En naar de politie.

De politie?
Tom is bang.

Maar eerst moet u iets eten en
drinken.
Ja, zegt Tom.
Hij heeft honger en dorst.

Het is lekker warm binnen.
Een man, Erik, kijkt tv.

- 14 -

Dag schat, zegt de vrouw.
Deze man had een ongeluk.

O ...
Erik staat op.
Bent u oké?

Hij weet niets meer, zegt de
vrouw.
Hij moet naar het ziekenhuis.
Maar eerst moet hij iets eten.

Erik dekt de tafel.
De vrouw gaat naar de keuken.

- 15 -

Ik ben Maria, zegt de vrouw.

Ik ben ..., zegt Tom.
Maar hij weet het echt niet.
Hij huilt.

Rustig, zegt Maria.
Alles komt in orde.

Maria begint te koken.
Spaghetti.
Dat is snel klaar en lekker.

Tom kijkt.

Tom kijkt naar Maria in de
keuken.

Koken, koken ...
Ik kan koken!
Ik ben kok!

Kok?, vragen Maria en Erik.

Ja ... In een restaurant.
Aan zee!

Wat is de naam van het
restaurant?
De ... de ...
De Meeuw!

Je restaurant is aan zee?
Ja!

De Meeuw?
Ja ... en mijn naam is ... Tom!

Tom!
En waar woon je?

In een dorp.
Een mooi dorp.
In een mooi huis.

Tom weet alles weer.

- 18 -

Tom is blij.
Hij weet zijn naam.
Zijn adres.
Zijn beroep.

Hij heeft honger.
Hij eet veel.

Dan is hij moe.
Hij wil slapen.

Maar hij moet naar het
ziekenhuis.
En naar de politie.

- 19 -

Tom gaat naar het ziekenhuis.

Hij is oké.
Hij heeft niets gebroken.
Hij mag naar huis.

Eerst gaat hij naar de politie.
Ze rijden naar het bos.
Ze vinden de auto.

Alle papieren zijn weg.
De gsm ook.
Gestolen.

- 20 -

Er was een man, zegt Tom.
In een huis, in het bos.

Ze vinden het huis.
Maar er is niemand.

Tom belt een vriend.
Die komt hem halen.

Ze rijden naar Maria en Erik.
Bedankt, zegt Tom.
Ik vergeet jullie niet!

Goeie reis, Tom!

Een week later.

Maria en Erik krijgen een kaartje.
Een uitnodiging.
Voor een gratis etentje in De
Meeuw.

Het is hier goed.
Het is hier lekker.
Gezellig aan zee.

Jullie zijn welkom!

Tot gauw!
Tom

Bibliotheek Bijlmermeer
Bijlmerplein 93
1102 DA Amsterdam
Tel.: 020 - 697.99.16

STRIPROMAN
De mooiste verhalen in stripvorm

Jules Verne
Reis om de wereld in 80 dagen

Reis om de wereld in 80 dagen is een klassieker in stripvorm. Het verhaal speelt zich 150 jaar geleden in Engeland af. In die tijd ging reizen langzaam. Toch wil Phileas Fogg een reis om de wereld maken. Hij wedt zelfs dat hij dat kan in 80 dagen. Maar onderweg gaat er van alles mis. Kan hij de weddenschap nog winnen?

64 pagina's | ISBN 978 90 8696 086 6 | € 14,50

De serie *Striproman* bevat verhalen die iedereen kent en verhalen over beroemde personen. Meer informatie of bestellen? Kijk op www.lezenvooriedereen.be of op www.eenvoudigcommuniceren.nl.